RIO

TEXTE: **AARON COHEN**

1ère. Edition, Janvier 1979
I.S.B.N.
84-7424-046-8

LE CARIOCA

«Le Carioca est celui qui vient et reste»
Billy Blanco
(sambiste carioca né à Belén de Pará)

Si vous venez pour la première fois à Rio de Janeiro, laissez que je vous parle de quelque chose que les photos de ce livre ne peuvent pas vous montrer: le genre de personne que vous trouvez ici, c'est à dire: le carioca (quelqu'un qui est né quelque part dans le Brésil ou dans le monde —même à Rio— et qui emplit les rues de cette ville surprenante de vie). Commençons par ceux qui forment la plus grande partie de notre peuple: garçons de café, portiers, liftiers, ouvriers, sambistes ou, tout simplement, ceux que les nouvelles du journal appellent *populaires*. Ce sont ceux qui s'arrêtent pendant des heures dans la rue pour voir, non pas un accident, mais un simple tracteur remuant la terre. Leur fort est l'improvisation, et leur inclinaison à faire ce qu'ils considèrent bon est irrésistible, tout en étant convaincus de leur réussite. Et, tout en agissant contre toutes les lois de la science et contre les prévisions historiques, ils finissent par réussir car, d'après eux, Dieu est brésilien (et certainement carioca) et il est donc lui aussi capable d'improviser.

Le carioca va vous appeler par votre prénom dès la première rencontre, et il se transformera en votre ami d'enfance à partir de la deuxième, en vous donnant des tapes sur le dos et en vous embrassant effusivement en pleine rue, afin de célébrer cet événement extraordinaire qu'est la rencontre entre deux personnes.

Il faut aussi savoir que la plupart de rencontres sont fortuites: les gens se promènent dans les rues et se recontrent quand ils peuvent.

Le rendez-vous à heure fixe est une fiction pour le carioca: quoiqu'il ait été établi formellement, une subtilité quelconque dans la conversation, qui vous échappera, indique que le rendez-vous est valable ou ne l'est pas. Et il faut les entendre parler! ils parlent, ils discutent, ils gesticulent, ils se touchent du coude, ils racontent des anecdotes, ils rient, ils saluent d'un geste large quelqu'un qui passe sur le trottoir d'en face, ils se taisent pour voir passer une belle femme, lui dirigent des mots flatteurs et reviennent à leur conversation. Personne n'a l'air d'entendre personne; tout le monde parle en même temps tout en riant bruyamment.

Vous pouvez vous éloigner de toute cette agitation, vous tournez à un coin de rue et vous vous trouvez soudain dans une rue tranquille, sous le versant de la montagne, et au milieu d'anciennes maisons recouvertes d'azulejos qui vous font revenir aux temps coloniaux. Et si vous remontez cette ruelle, vous vous trouverez tout à coup entouré de végétation, sous l'ombre d'arbres immenses dans lesquels les oiseaux chantent et les papillons voltigent. Depuis le haut du coteau, vous verrez le paysage s'ouvrir sous vos pieds et vous découvrirez la ville entière entre les montagnes et la mer. Après l'avoir admirée, vous sentirez le désir de vous y intégrer et de revenir au grouillement de ses rues et à la camaraderie excitante des cariocas.

C'est alors que vous devez faire attention! Vous aurez commencé à courir le risque de rester à Rio pour toujours et de devenir, vous aussi, carioca.

FERNANDO SABINO

RIO DE JANEIRO

Il y a des villes dont le secret peut être résumé en peu de mots. D'autres exigent un complément visuel: nous ne pouvons pas suggérer son image sans l'aide d'illustrations. Nous devons peindre ses couleurs, dessiner ses profils.

Le cas de Rio de Janeiro est encore plus compliqué. Ses couleurs, ses profils, son arôme sont uniques au monde. Il est impossible d'exprimer autant de sensations différentes. Les meilleurs photographes, les écrivains les plus brillants, les cinéastes les plus intelligents n'ont pas réussi à capter et à transmettre la beauté magique de Rio.

Toutes les images ont l'air fragile, tous les adjetifs sont vulgaires lorsqu'ils sont appliqués à cette ville sans limites. Il arrive la même chose à Rio qu'à un vieux négociant en vins de Bourgogne: après avoir offert les meilleurs vins de sa cave aux visiteurs, il leur demandait d'écrire leurs impressions sur un album. Et c'est ainsi qu'il obtint une précieuse collection d'autographes des personnages les plus

COUCHER DE SOLEIL SUR LE PAIN DE SUCRE

PRAIA VERMELHA

TELEFERIQUE DU PAIN DE SUCRE

PAIN DE SUCRE

GUANABARA MITOLOGICA
A1ª ESTATUA DEDICADA
à GUANABARA MARAVILHOSA
REPRESENTADAS
NOS CABELOS, AS SUAS FLORESTAS,
NOS SEIOS, AS SUAS MONTANHAS,
NAS CURVAS DO BUSTO, AS SUAS PRAIAS,
NAS VOLUTAS, ATE A CINTURA,
AS ONDAS DO SEU MAR,
NA SILHUETA, ESBELTA A GRAÇA
DE SUA MULHER.

*MONU-
MENT A
ESTACIO DE
SA·*

*BAIE
DE
BOTAFOGO*

PAIN DE SUCRE

*MONU-
MENT AUX
PRACINHAS
(SOLDATS
BRÉSILIENS
DE LA
SEGONDE
GUERRE
MONDIALE)*

CORCOVADO

«CHRIST REDEMPTEUR,
LES BRAS OUVERTS SUR GUANABARA»

LES PAINEIRAS SUR LA ROUTE DU CORCOVADO

PETIT TRAIN DU CORCOVADO

célèbres de notre époque: Churchill, Einstein, Toscanini, Freud... qui exprimaient les opinions les plus vulgaires. Le vin est merveilleux (écrivait un génie). Rien n'est meilleur que le vin (affirmait quelques lignes plus bas un poète inspiré). Vive le vin! (s'exclamait sur une autre page un Prix Nobel).

Ceux qui visitent Rio de Janeiro échouent aussi, généralement, en prétendant fleurir d'adjetifs la ville la plus belle du monde. «Tout est grâce en elle» (disait déjà Tomé de Sousa en 1552, en la voyant pour la première fois). Il y a une chanson populaire qui s'appelle «Ciudad Maravillosa». «La beauté de cette ville est inexprimable», écrivit plus modestement Stephan Zweig. Et c'est vrai.

L'HISTOIRE DANS LES RUES

Pour connaître une ville il faut aussi pénétrer dans la psychologie de ses habitants. En contemplant la ville de Rio nous pouvons nous forger une petite idée sur l'âme brésilienne. Ici, l'histoire ne se cache pas dans de vieux parchemins a l'écriture mystérieuse. Les anciennes chroniques qui enregistrent les quatre siècles de vie de la ville ne manquent évidemment pas. Mais on apprend la vraie histoire de Rio à l'air libre, dans ses rues et dans ses places, aussi bien dans le baroque d'une façade que dans l'animation contagieuse de la population brésilienne. Jusqu'au XVIème siècle, ces terres de la baie de Guanabara constituaient le paradis des indiens tamoyos. Français et portugais se disputèrent ces terres, jusqu'à ce que ces derniers réussirent à occuper la région. Pendant bien des années ce fut une ville pauvre, consacrée à la culture de la canne à sucre. Elle dut attendre le XVIIIème siècle pour devenir un port important pour l'exportation de l'or découvert dans les Mines Gerais. En 1763 elle devint la capitale du Brésil. A partir de ce moment-là, Rio fut le centre des principaux événements du pays, tels la conquête de l'indépendance en 1822 et la proclamation de la République en 1889.

CORCOVADO (VUE DU CHRIST)

CORCOVADO - MIRADOR

BAIE DE GUANABARA

PRAIA VERMELHA, AU FOND,
COPACABANA

RIO DE JANEIRO

Plus récemment, en 1960, la capitale du pays fut transférée à Brasilia et Rio constitua le nouvel Etat de Guanabara. En 1975 elle devint capitale de l'Etat de Rio de Janeiro, composé de 64 communes avec une population de dix millions d'habitants.

L'évolution de son histoire se présente à nos yeux comme une partie intégrante de son paysage; nous pourrons ainsi remarquer le Monastère de São Benito, fondé par les bénédictins en 1641, les Arcos, aqueduc imposant construit il y a 200 ans, le palais des vice-rois, magnifique échantillon de l'architecture brésilienne du XVIIIème siècle, le Couvent de Saint Antoine, l'Eglise de Notre Dame do Outeiro da Glória, les maisons anciennes de style colonial avec de beaux balcons en fer forgé. Dans les quartiers plus anciens, nous pouvons surprendre ici et là de vieux vestiges de l'époque des vice-rois, qui, petit à petit, cèdent leur place aux gratte-ciel modernes.

Grâce à l'installation de la Cour, Rio de Janeiro

LES AEROBARQUES TRAVERSENT LA BAIE DE GUANABARA ENTRE RIO ET NITEROI

CENTRE
AVENUE GRAÇA ARANHA
AVENUE PRESIDENT VARGAS

PLACE 15 NOVEMBRE
GARE DAS BARCAS, SUR LA PLACE 15 NOVEMBRE
LA POSTE   ANCIEN PALAIS IMPÉRIAL

devint l'une des métropoles les plus actives et les plus avancées de son temps. C'est à cette époque que furent construits la Casa de la Moneda, la Banque du Brésil, l'Imprimerie Nationale, le Jardin Botanique, l'Ecole des Beaux Arts et le Musée National. En 1811 le Prince Don Juan assista à la première messe célébrée à l'Eglise de la Candelaria, la plus baroque et somptueuse de la ville.

Tout cet héritage historique survit à côté de l'architecture la plus audacieuse du XXème siècle. Le secret de Rio se trouve précisément dans le goût avec lequel il sait combiner les mélanges les plus divers de race, d'histoire ou de style. Tout comme la nature fertile qui l'entoure, la ville offre au visiteur une surprise à chaque coin de rue.

LA NATURE FAIT PARTIE DE LA VILLE

Peu de villes au monde peuvent rivaliser avec sa situation géographique privilégiée. Ce n'est pas une ville que l'on puisse admirer uniquement sous son aspect urbanistique. Il faut absolument parcourir aussi ses collines, ses plages, ses lacs et ses jardins.

Dans les journées les plus chaudes de l'année, lorsque les arômes tropicaux se font plus profonds et plus denses, on sent la proximité vivante de la forêt vierge. Cette présence de la nature arrive jusque dans l'intérieur des édifices. Contrairement à d'autres villes modernes, Rio n'est pas un monstre en béton. Ses gratte-ciel se dressent sur la mer ou sur des parcs fleuris comme des palmiers. Dans ses jardins on sent la respiration chaude de la terre. Entourée par la mer, depuis la baie de Guanabara jusqu'aux plages de Grumari et la Barre de Guaratiba, la ville est divisée en deux zones. Dans la zone sud on trouve tout l'attrait touristique, les meilleurs hôtels et restaurants, l'aveuglante plage de Copacabana, l'imposant Morro del Corcovado, la romantique Floresta de Tijuca.

EGLISE DU MONASTERE DE SÃO BENTO

EGLISE DU MONASTERE DE SÃO BENTO

PLACE MARECHAL
FLORIANO

LES PLAGES

Les plages de Rio sont, tout simplement, les plus belles du monde. Elles offrent de plus l'opportunité de mieux connaître la vie et les coutumes de la population. Bien qu'ouvertes au tourisme le plus luxueux et entourées des hôtels les plus élégants, elles sont encore le refuge traditionnel des gens simples qui habitent dans les quartiers populaires voisins. A Copacabana, Ipanema ou Leblon, nous pouvons rencontrer les personnages les plus populaires de la vie brésilienne: les vendeurs de rafraichissements, le fabriquant de chapeaux de paille, l'artisan qui confectionne des perroquets en papier. Et, au lever du jour, nous pouvons encore surprendre les pêcheurs traînant sur le sable leurs filets replets de poissons.

Durant les premières années de l'histoire brésilienne, lorsque les gouvernants s'installaient sur les hauteurs à la recherche d'un climat plus sain, la population modeste habitait les quartiers côtiers, au bord des plages.

Les bains de mer commencèrent à devenir populaires au début du XIXème siècle. Mais la splendeur de Copacabana et de ses environs ne date que des années 30. C'est à ce moment-là que surgit une véritable fièvre immobilière: on démolit les anciennes villas et petits palais pour élever, à leur place, d'énormes gratte-ciel. Aujourd'hui, les bars de la plage se remplissent de gens joyeux et oisifs à la recherche de distractions. Copacabana est devenue une ville avec une vie propre dans le coeur même de Rio. Dans cette frange de terre comprise entre la montagne et la mer on peut trouver tout ce dont une ville a besoin: les meilleures maisons commerciales, des banques, des hôtels, des boîtes de nuit, des restaurants et six kilomètres de plage avec la plus grande densité de belles femmes par mètre carré du monde.

Copacabana n'est cependant qu'une des innombrables plages de Rio: Flamengo, Botafogo, Urca, Ipanema, Leblon, São Conrado, Praia da Barra... Chacune d'entre elles a eu son moment culminant, son époque, sa tradition. Flamengo est aujourd'hui la plus urbaine, la plus proche du centre. Ipanema fut la grande plage à la mode des années cinquante, et c'est dans l'un de ses bars bohêmes (el Veloso) que naquit ce rythme brésilien qui fit le tour du monde: la *bossa nova.* Ipanema créa son propre

LES «ARCS»
DA CARIOCA

LES «ARCS» DA CARIOCA

PLACE TIRADENTES

trouve la plage la plus étendue de Rio: la Praia de Barra, avec une longueur de près de vingt kilomètres. D'année en année, le littoral de Rio augmente et se transforme vertigineusement. La ville, affairée et fébrile, cherche le repos dans la brise de ses plages, dans la mer.

LES COLLINES ET LES PAYSAGES

Rio de Janeiro est une ville sculptée dans l'espace. Sa dimension horizontale est grandiose et ses collines lui donnent une dimension verticale privilégiée.

C'est entre ces deux dimensions que s'étend, telle une sculpture baroque, le paysage distorsionné de la ville. Pour passer d'une zone à l'autre il faut traverser les tunnels perforés dans les entrailles des collines. Sur ces artères souterraines, se dressent les *favelas,* sereinement établies dans leur pauvreté et où habite la population la plus deshéritée. Les favelas ne constituent pas un problème exclusif de Río. Il y en a dans toutes les grandes métropoles du monde. Cependant ici, contrairement à ce qui se produit dans les quartiers industriels d'autres villes, les pauvres vivent davantage sous la lumière du soleil; ils n'ont pas été entièrement relégués aux faubourgs où d'autres grandes villes du monde ont l'habitude de cacher leur misère.

Il y a des montagnes grises et escarpées; d'autres sont douces et vertes. Chaque portion du paysage est différente. Dans la mer, d'innombrables îles miroitent au soleil; de l'autre côté de la ville se trouvent les bords exubérants de la forêt vierge. Et, au milieu de cette nature, la ville zig-zague avec ses avenues et ses gratte-ciel. Quelques uns des meilleurs architectes de notre temps ont dressé leur chef-d'oeuvre dans ce paradis spatial: Oscar Niemeyer, Lúcio Costa, Mauricio Roberto, Sergio Bernades, Carlos Leâo...

Le pic du Corcovado, avec son image monumentale du Christ Rédempteur, se dresse à l'intérieur du Parc National de Tijuca, la plus grande réserve forestière de la ville. A une altitude de 700 mètres, le Corcovado offre à nos

folklore et possède même sa propre revue: *O Pasquim,* un hebdomadaire humoristique qui révolutionna le style littéraire du journalisme brésilien. Et il ne faut pas oublier la célèbre Banda de Ipanema, qui constitue aujourd'hui une tradition du Carnaval. La plage de Leblon fut la dernière à être à la mode. Beaucoup de ses bars font déjà partie de l'histoire bohême de Rio: Antônio's, Degrau, Luna Bar, etc. Entre Leblon et São Conrado on traverse la plage tranquille de Vidigal, où se dresse un magnifique complexe touristique. Plus au sud se

NOUVELLE
CATHEDRALE
(INTÉRIEUR)

MUSEE
D'ART
MODERNE
(FAÇADE)

MUSEE
D'ART
MODERNE
(JARDINS)

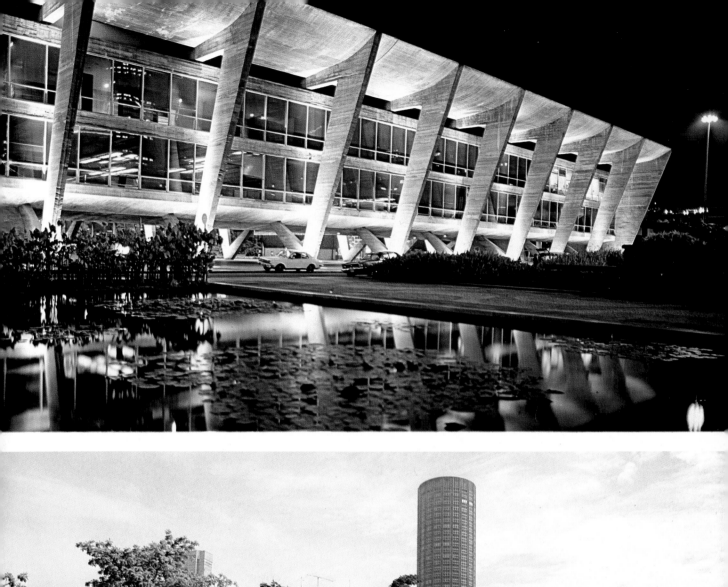

MUSEE DES BEAUX
ARTS

yeux un panorama incomparable. On atteint le
sommet au moyen d'un chemin de fer
pittoresque qui traverse un beau paysage naturel.
De là nous pouvons apercevoir toute la baie de
Guanabara, la plage de Flamengo et le
gigantesque pont Río-Nitéroi. La vue s'étend sur
le lac Rodrigo de Freitas et sur les lointaines
plages d'Ipanema et de Leblon.
Le monument au Christ Rédempteur, qui a les
bras ouverts comme pour protéger la ville, a 38
mètres de hauteur. Sous son piédestal en marbre
se trouve une petite chapelle où l'on célèbre la
messe tous les dimanches depuis 1931 l'année
de sa construction.
Depuis le Mirante D.ª Marta on contemple aussi
un panorama grandiose: le Parc de Tijuca et la
merveilleuse baie de Botafogo. Mais le pic le
plus visité par les voyageurs qui arrivent à Rio
est, sans doute, le Pain de Sucre, symbole
international de la ville et qui l'identifie sur
toutes les affiches touristiques; il représente

*HISTOIRE
DU BRESIL,
COUVERTURE
EN OR SUR
VELOURS
DU TEXTE
ORIGINAL DE
LA PREMIERE
CONSTI-
TUTION
BRESILIENNE
(1824).
ARCHIVES
NATIONALES
DE RIO DE
JANEIRO*

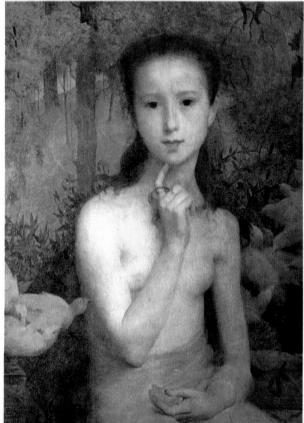

pour Rio ce que la Tour Eiffel représente pour
Paris et le Big Ben pour Londres. On monte
facilement ses 400 mètres grâce au téléphérique.
Le paysage est merveilleux: on peut voir toute la
côte, de Rio, ses mers et ses baies. Pendant la
nuit la vision est encore plus impressionnante: la
ville brille comme un diamant.
Outre le Pain de Sucre et le Corcovado, il y a
d'autres points qui offrent de très belles vues de
la ville. Vista Chinesa, le Morro de Urca, Mesa do
Emperador sont de véritables terrasses
suspendues entre une mer et un ciel bleus.

LES MUSEES

Mais Rio n'est pas seulement le paysage le plus
beau qui existe. C'est aussi une ville dont les
traditions culturelles ont été conservées tout au
long de son histoire sociale et politique. Une

PLAGE DE COPACABANA (PECHEURS)

FOIRE DE COPACABANA (FLEURS)
FRUITS TROPICAUX

gande partie de ce patrimoine se trouve dans ses musées, dont quelques uns sont installés dans de magnifiques manoirs et des palais qui méritent une visite.
Le Musée National, fondé par D. João VI, est l'institution scientifique la plus ancienne du pays. Ses salles contiennent plus d'un million de pièces de zoologie, de l'antiquité classique, de minéralogie, d'ethnographie, etc. L'une des pièces les plus notables est certainement le météorite Bendengé, qui pèse plus de cinq tonnes et qui est le plus grand exemplaire qui soit tombé en Amérique du sud. Le Musée National est installé dans un bâtiment superbe de Quinta de Boa Vista; il a été construit au XIXècle et utilisé en tant que résidence de deux gouvernements impériaux jusqu'à la proclamation de la République en 1889.
C'est dans ses salons que se réunit la première Assemblée Constituante Brésilienne en 1891.

PLAGE D'IPANEMA

PLAGE D'IPANEMA - PRATIQUE DU SURF   *PLAGE D'IPANEMA*

La visite au Musée Historique, fondé en 1922, est aussi très intéressante; il est installé dans la vieille forteresse de Sâo Tiago, ancienne prison d'esclaves, et dont on se servit auparavant comme arsenal de guerre et siège de la Real Academia Militar. Il possède une riche collection de documents sur l'Histoire du Brésil, depuis la découverte jusqu'à la proclamation de la République. Parmi ses objets les plus intéressants on peut remarquer une collection de voitures du XIXème siècle, quelques peintures historiques et la lettre de D. Pedro II informant de la fin de l'Empire.

Le Musée de la République est installé dans l'une des plus belles constructions de Rio: le Palacio do Cadete, édifié en 1866 par un architecte allemand. Depuis 1896 ce fut la résidence des Présidents de la République jusqu'au suicide de Getulio Vargas en 1954. Dans ses salles se trouve exposée une importante collection de documents relatifs à tous les Présidents de la République.
Au Musée National des Beaux Arts, bâtiment imposant du début du siècle, on peut voir une collection très sélectionnée de la peinture brésilienne. Parmi les oeuvres les plus célèbres

VENDEUR DE RAFFRAICHISSEMENTS (PLAGE D'IPANEMA)

VENDEUR DE RAFFRAICHISSEMENTS (PLAGE D'IPANEMA)

VENDEUR DE MATE (PLAGE D'IPANEMA)

PLAGE D'IPANEMA

se trouvent les tableaux de Eliseu Visconti, Presciliano Silva, Tarsila do Amaral et Portinari. Ceux qui désirent connaître plus profondément l'histoire de Rio peuvent visiter le Musée de la Ville, installé dans l'ambience délicate du Parque de la Ciudad. Une visite au Museo del Teatro peut être aussi très intéressante: on y trouve, fidèlement reconstruite, l'histoire du monde du spectacle.

On trouve aussi d'intéressantes collections au Musée d'Art Moderne (avec des oeuvres de Picasso, de Dalí et de Matisse, à côté d'artistes brésiliens contemporains) et au Musée du Son et de l'Image, avec une magnifique sélection de musique populaire brésilienne.

Pour les amateurs d'Histoire et d'Ethnologie, deux collections intéressantes: le Musée de la Marine et el Musée de l'Indien, avec une exposition complète de la culture indigène brésilienne.

SURF SUR LA
PLAGE
ARPOADOR

LE CARNAVAL

Il n'y a rien qui puisse résumer l'histoire de Rio
avec autant de grâce que cette «marchinha»
populaire qui dit que le Brésil est né le 21 avril,
«deux mois après le Carnaval». Le mois de
février (mois traditionnel du Carnaval, bien que
la fête ait parfois lieu au mois de mars) est une
référence historique dans la vie des brésiliens.
Toute la vitalité brésilienne explose et déborde
pendant les journées du Carnaval. La samba
commence dans les quartiers populaires et
s'étale sur toute la capitale.
L'origine du Carnaval se trouve dans la vieille
célébration de l'«entrudo» que les portugais
importèrent des Açores. En ces temps là la fête

était une orgie bruyante qui s'achevait
fréquemment par des manifestations violentes.
Le Carnaval fut ainsi relégué aux salons de la
population bourgeoise jusqu'à ce que, jaillirent
au XIXème siècle, les premières danses
populaires de fantaisie. Il s'agissait d'une fête
joyeuse et amusante, mais dépourvue
d'animation populaire. Ce fut le noir qui, en
imposant ses rites et ses danses, vint donner du
sang et de la vie à l'actuel Carnaval brésilien.
On fonda les premières sociétés carnavalesques
et les premières écoles de samba, et la samba
donne le rythme et le compas du Carnaval de
Rio depuis 1917.
Cette fête de joie et de défoulement, qui rompt
les tensions de la vie urbaine, n'est pas

*PONT PRESIDENT COSTA E SILVA SUR LA
BAIE DE GUANABARA*

uniquement une diversion. Elle donne du travail à des centaines d'ateliers où l'on fabrique des vêtements, des ornements, des masques et des colliers. C'est aussi une source d'inspiration et d'enthousiasme pour les artistes populaires, et une occasion pour que l'imagination et la créativité populaires laissent apparaître leur génie.

Beaucoup d'amours commencent pendant ces jours de délire et de liberté; d'autres, moins solides, se défont sans résister à l'épreuve. La vie se transforme pendant le Carnaval, fête de la renaissance par excellence.

Un célèbre compositeur noir créa, dans les années 30, la première école de samba qui s'appela «Deixa Falar» (Laisse parler). Depuis lors, les écoles ont augmenté et se sont multipliées jusqu'à devenir un défilé qui est aujourd'hui l'une des principales attractions du Carnaval. Dans les défilés du dimanche on rencontre plus de 40.000 comparses qui traversent les avenues de la ville en chantant et en dansant, déguisés

ETANG RODRIGO DE FREITAS

*ETANG RODRIGO DE FREITAS, AU FOND, PLAGES
D'IPANEMA ET LEBLON*

des façons les plus capricieuses et
extravagantes. Sur les sièges semicirculaires, le
peuple vibre en assistant au défilé. Les écoles
se disputent la suprématie du luxe et de la
beauté, et chaque groupe présente sa samba
composée spécialement pour cette occasion,
avec des thèmes faisant allusion à des faits et à
figures de l'histoire, de la mythologie ou de la
vie de la ville.

Aucun spectacle n'est comparable au défilé des
écoles de samba le dimanche de Carnaval. La
«comisión de frente», composée par les
vétérans, ouvre le cortège. Ensuite arrivent le
«mestre sala» et le «porta-bandeira» qui
montrent au public les emblèmes et l'étendard
de l'école. Vient enfin la partie principale,
composée par d'innombrables files de danseurs
(passistas) et d'acrobates (ritmistas) qui
avancent avec un pas rythmé tout en réalisant
plusieurs fantaisies avec les couleurs de chaque

JOCKEY CLUB

école. Le rythme est marqué par la batterie qui est composée de centaines de tambours et d'instruments typiques: tambourins, «cuícas», etc...
Les Ecoles de Samba sont le soutient populaire du Carnaval brésilien. Quelques unes d'entre elles (Mangueira, Portela, Salgueiro) possèdent déjà une histoire légendaire. Chacune a ses partisans et ses symboles. Mangueira a le vert et le rose; Portela, le bleu et le blanc; Salgueiro, le rouge et le blanc et ainsi de suite. L'un des meilleurs spectacles de Rio, en dehors de

PARC LAGE

JARDINS DU PALAIS GUANABARA

l'époque du Carnaval, sont les essais des
Ecoles, que l'on célèbre en public à partir de
septembre.
La *bossa-nova* est une variété actualisée de la
samba traditionnelle. Aujourd'hui elle constitue
l'un des rythmes les plus populaires du monde
entier et une démonstration de la capacité de

rénovation de la musique brésilienne, qui ne pert
pas pour autant sa poésie et son rythme propre.
Lorsque le Carnaval touche à sa fin, la ville
entière a l'air de s'enfoncer dans une
atmosphère de mélancolie. Ceux qui y ont
intervenu arrivent même à dormir dans la rue,
exténués. Fini le rêve où les pauvres se

*JARDIN
BOTANIQUE*

transformaient en princes d'un royaume heureux. La samba «Felicidade» résume poétiquement cette tristesse qui suit le Carnaval:

«*Tristeza nâo tem fim...*
Felicidade sim!»

Mais il s'agit d'une tristesse poétique, douce et humaine, car à Rio la fête ne finit jamais. N'importe quel évènement (une victoire au football, une célébration de fin d'année) est un prétexte pour célébrer un petit Carnaval. L'esprit de fête des brésiliens n'a pas de limites.

NUITS DE RIO

Copacabana, Ipanema, Leblon —ainsi que Barra pour les week-end—, sont les centres de vie nocturne les plus importants: des nuits agitées comme un rythme de samba, qui réunissent

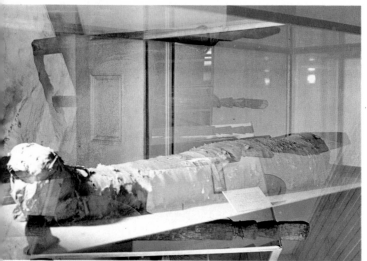

toute la bohême sans préoccupation. Pendant toute l'année, les boîtes de nuit brésiliennes présentent les spectacles les plus luxueux et les plus élégants, animés par l'incomparable sensualité de la femme brésilienne.

Les jeunes préfèrent en général l'atmosphère animée des discothèques, où la pénombre se confond avec la musique à toute puissance.

Dans les bars de la Zone Sud on boit le *chope* glacé à l'air libre, dans une ambiance informelle de joyeuse camaraderie.

Les amateurs de cinéma, de théâtre et de musique disposent de nombreux locaux où chaque nuit est représenté leur spectacle préféré et où l'on interprète les meilleures pièces du folklore brésilien.

La vie nocturne brésilienne est, depuis 1940, une attraction internationale. L'illumination de la ville, dans les alentours de la célèbre Cinelandia, sur la rue du Passeio, constituait déjà à cette époque-là tout un spectacle. C'est de là que le mouvement s'est étendu à travers les avenues de Copacabana et a atteint les quartiers résidentiels du Sud. Aujourd'hui la joie de la nuit envahit toute la ville. Les brésiliens dansent et parlent dans toutes les ambiances: sur les terrasses de São Conrado, dans les boîtes de nuit des hôtels, dans les discothèques de Copacabana, à l'air libre et à l'intérieur des célèbres Ecoles de Samba qui vivent un carnaval éternel. Au cours des essais qui ont lieu dans ces Ecoles, nous pourrons connaître la Reine des Nuits de Rio: la mulâtresse, produit parfait du mélange de races, au sein d'un peuple dépourvu de tout préjugé racial.

LA CUISINE BRESILIENNE

La cuisine brésilienne s'adapte à tous les goûts. Le voyageur peut choisir son plat préféré dans n'importe lequel des nombreux restaurants de la ville. Ceux qui apprécient la bonne viande peuvent la trouver dans les populaires *churrasquerías,* où l'on mange au son animé de spectacles musicaux. Des restaurants spécialisés présentent des plats typiques de différentes régions du Brésil.

MUSEE NATIONAL · QUINTA DA BOAVISTA

La cuisine brésilienne, ainsi que l'histoire même du pays, est née du métissage fécond de trois cultures différentes: l'indienne, la noire et l'européenne. De ce mélange de races est née une cuisine aromatique et variée, qui possède une infinité de nuances et de spécialités. La cuisine du nord du pays possède les saveurs caractéristiques de la gastronomie indigène. Des plats que l'on sert à Bahía, se détachent les saveurs des épices et des condiments afrobrésiliens. Dans ceux de la région centrale se trouve la tradition agricole et de chasse des bandeirantes, ces aventuriers qui parcouraient le pays à la recherche d'or et de pierres

précieuses. Dans le sud on trouve surtout le *churrasco,* aliment des gauchos et des vachers de la région.

Le plat le plus typique de la cuisine brésilienne est sans doute la *feijoada,* viande de porc cuisinée avec des haricots. Mais la ville offre aussi toutes les spécialités de la gastronomie internationale: française, chinoise, portugaise, espagnole, allemande...

Il ne faut évidemment pas oublier les fruits délicats du Tropique: la noix de coco, la banane, l'ananas, l'avocat et une infinité de fruits aromatiques avec lesquels sont faits les savoureux jus ou les sorbets.

En plus des restaurants traditionnels, comme la confiserie Colombo, nous pouvons trouver des milieux plus luxueux et sophistiqués, comme le Concorde, le Michele, le Mario's, le Nino's, etc. Et d'autres encore au bord de la mer ou au sommet des montagnes au milieu d'une nature

CHEMIN DE FER DE SAINTE THERESE

PEDRA DA GAVEA

PLAGE DE SÃO CONRADO

exubérante d'un jardin tropical.

MARACANA

Le stade de Mario Finho, plus connu sous le nom de Maracaná, est une construction gigantesque en béton capable d'accueillir 200.000 spectateurs; il s'agit sans doute du meilleur et du plus célèbre du monde. De 1948 à 1950, 11.000 ouvriers ont travaillé contre la montre afin de transformer ce rêve en réalité. Si l'on mettait les uns sur les autres les 500.000 sacs de ciment employés dans sa construction, la hauteur obtenue dépasserait celle de l'Empire State Building. Avec les 60.000 mètres cubes de pierre utilisés on pourrait élever une pyramide de 3.000 mètres de hauteur. Avec le ciment de sa structure on pourrait construire une avenue de deux kilomètres de long.

Avec ses 46 bars, ses restaurants, ses appartements, ses infirmeries et ses vestiaires, Maracaná est presque une ville.

C'est à Maracanà qu'on été vécus les moments

CHAPELLE
MAYRINCK
DANS LE
BOCAGE
DE TIJUCA

PETITE
CASCADE

STADE
MARIO
FILHO
(MARA
CANA)

MULATRES-
SES DU
OBA-OBA

*DEFILE DES ECOLES DE SAMBA,
LA GRANDE ATTRACTION DU
CARNAVAL*

*CEREMONIE RELIGIEUSE
AFRO-BRESILIENNE*

les plus importants de l'histoire du football. C'est là que Pelé a marqué le millième but de sa carrière, exploit unique parmi tous les joueurs du monde.

Le football est le spectacle brésilien par excellence. Quelques unes des équipes qui participent au championat de la ville sont mondialment connues: Flamengo, Botafogo, Fluminense, América, Vasco de Gama. Les joueurs ont créé un style péculier de football, qui tient plus de l'art que du sport. Tous les brésiliens connaissent les noms de Pelé, Garrincha, Didi, Jairzinho et une série interminable d'artistes du ballon qui exercent leur art dans les différents clubs brésiliens. Ce sont vraiment des idoles du peuple.

Les personnalités les plus célèbres de la politique mondiale sont passées par Maracaná:

*CEREMONIE DE CANDOMBLE SUR
LES MONTAGNES PRES DE RIO*

la Reine Elisabeth d'Angleterre, le Shah d'Iran, Robert Kennedy. Ce dernier arriva même à rompre le protocole pour embrasser Pelé sous la douche, dans le vestuaire.

Pendant ses quelque 25 ans d'existence, Maracaná a déjà reçu soixante dix millions de spectateurs et a été le théâtre de l'enthousiasme ou de la déception de beaucoup d'amateurs. L'échec de la Sélection Brésilienne à la Coupe du Monde de 1950 face à l'équipe d'Uruguay constitua presque une tragédie nationale. Mais ce revers fut suivi de grandes victores du football brésilien: les victoires dans les championnats mondiaux de 1958, 1962 et 1970.

A Maracaná il existe aussi un Musée des Sports

où se trouvent des trophées et des photographies de tous les sports qui sont pratiqués dans le pays.

A côté de celui-ci se trouve le Gymnase Gilberto Cardoso, plus connu sous le nom de Maracanazinho, un immense stade couvert avec une capacité de 18.000 spectateurs.

PAQUETA ET LA BAIE DE GUANABARA

La visite à Rio ne sera pas complète sans une promenade sur mer. A peu de minutes de la ville, à une extrémité de la baie de Guanabara, se trouve l'île de Paquetá, refuge de paix et de calme.

NOUVEL AEROPORT INTERNATIONAL DE RIO DE JANEIRO

Ce territoire interdit aux automobiles repose dans son doux crépuscule, comme un paradis oublié. On peut parcourir ses chemis au pas lent d'un tilbury, comme les princes de jadis. Ses plages attirent de nombreux baigneurs. D'autres préfèrent louer une bicyclette et circuler à travers les sentiers pittoresques qui traversent l'île.

Le soir, lorsque les excursionnistes abandonnent les plages, Paquetá récupère sa plus profonde et poétique solitude. Le visiteur peut loger dans les hôtels de l'île et jouir de la nuit sereine, au

RIO EST LE CENTRE DE
L'INDUSTRIE DE BIJOUTERIE DU BRESIL,
AU-DESSOUS
QUELQUES EXEMPLAIRES
DE PIERRES SEMI-PRECIEUSES
BRESILIENNES.

PLAT DE HARICOTS (FEIJOADA)

milieu de cette nature qui n'a pas encore été profanée.

Une excursion à Paquetá nous offre en plus l'opportunité de contempler de beaux paysages de la baie de Guanabara. D'un côté les plages de Rio, Flamengo et Botafogo; de l'autre, les côtes de Niterói avec les plages de Gragoatá, Icaraí, Saco de São Francisco, Jurujuba et Adão e Eva. Fermée par les profils abrupts du Pain de Sucre et du Cap de Santa Cruz, la baie de Guanabara s'étend sur une surface de 400 kilomètres carrés. Entre Rio et Niterói s'élève le pont célèbre —oeuvre magistrale de génie— qui unit les deux rives de la baie la plus belle du monde.

INDEX

Printed in Spain  GEOCOLOR®

COGRAF, S.A. Dep. Leg. - B - 38.372 - 79